Le renne du père

MÉLI MARLO

ILLUSTRATIONS DE PAWEL PAWLAK

Chapitre 1

– Cette nuit, dit Carillon,
j'ai rêvé que je tirais
le traîneau du père Noël !
– C'est un très beau rêve,
dit sa maman en souriant,
mais pour devenir renne
du père Noël, il faut savoir voler.

– Eh bien,
j'apprendrai !
lance Carillon d'un air décidé.
Je pourrai m'envoler
vers les étoiles,
en tirant le traîneau
rempli de cadeaux !

Exactement au même moment, dans sa maison, le père Noël se réveille en sursaut. Il vient de faire un horrible cauchemar : un de ses rennes était malade et il ne pouvait pas tirer le traîneau.

– Père Noël !
Père Noël !
crie un lutin en entrant
dans la chambre,
le renne Tinou
s'est enrhumé.
Il a de la fièvre
et il n'arrête pas
d'éternuer !
– Catastrophe, dit
le père Noël, il faut
absolument
que je trouve
un renne pour
le remplacer !

Peu de temps après, le père Noël sort de chez lui, un gros paquet d'affiches sous le bras.
– Où vas-tu ? lui demandent les lutins.

– Je vais mettre des affiches
dans la forêt. Il faut que je trouve
un renne avant ce soir.
Et il s'éloigne dans la neige.
– Bonne chance, Père Noël !
crient les lutins en rangeant
les cadeaux dans le traîneau.

Chapitre 2

Exactement au même moment, Carillon rencontre les enfants du village.

– Où vas-tu, petit renne ? demandent-ils à Carillon.

– Je veux apprendre à voler pour tirer le traîneau du père Noël, répond le renne.

– Les oies des neiges sont
près du grand lac gelé,
elles pourront peut-être
t'aider, lui conseillent
les enfants.
Après une longue marche,
Carillon arrive au grand lac gelé.

– Bonjour mesdames, je voudrais
apprendre à voler pour tirer le
traîneau du père Noël, dit Carillon.

– Tu veux voler ? se moquent les oies. Très bien, tu vas voir ce que tu vas voir…

Les oies saisissent les bois de Carillon dans leur bec.

En quelques claquements d'ailes, elles soulèvent le petit renne dans les airs.

Exactement au même moment,
le père Noël pose sa première affiche
sur un tronc d'arbre.
Il est content de lui.

Mais monsieur Léon,
le bûcheron, s'approche :
– Père Noël, dit-il,
vous avez oublié que les rennes
ne savent pas lire !
– Comme je suis bête ! s'exclame
le père Noël. Que vais-je faire ?

Chapitre 3

Je vole ! Je vole ! crie le petit renne porté par les oies des neiges.

Mais les oies ont toujours été jalouses des rennes du père Noël.

« C'est nous qui devrions tirer le traîneau, pensent-elles. Nous, au moins, nous savons voler ! »

– Tu voulais voler ? Eh bien vole !
se moquent les oies.
Au même instant, elles ouvrent
leur bec, et laissent tomber
le petit renne.

– Au secours !

crie Carillon.

Cette fois, c'est le moment
de savoir voler !

Carillon agite les pattes
de toutes ses forces…
mais il continue
de tomber.

Ahhhhh !

hurle le petit renne en fermant
les yeux.

– **Ouille !** fait le père Noël.
Voilà qu'il pleut des rennes maintenant !

Carillon rouvre les yeux. Il est tombé
sur le père Noël !
– Je suis désolé, s'excuse Carillon.
Je voulais juste apprendre à voler.

– Ne t'en fais pas, le rassure
le père Noël, on peut vraiment dire
que tu tombes bien !

Derrière sa barbe,
le père Noël sourit
malicieusement.

Il sort de sa poche un ruban
avec une clochette
et l'accroche
au cou du petit renne.

Soudain Carillon se sent léger,
ses sabots ne touchent plus le sol.

– **Je peux voler !**

s'émerveille-t-il.

– Alors en route ! dit le père Noël,
la distribution des cadeaux
va commencer…

300, rue Léon-Joulin, 31101 Toulouse Cedex 1 – France

Loi 49.956 du 16.07.1949
Dépôt légal : 3e trimestre 2000
ISBN : 2-7459-0120-6
Imprimé en Belgique